\ JUJU KOREAN LEVEL 1 \

JUJU KOREAN LEVEL 1

발행	2024년 03월 08일
저자	JUJU
펴낸이	한건희
펴낸곳	주식회사 부크크
출판사등록	2014. 07. 15(제2014-16호)
주소	서울특별시 금천구 가산디지털1로 119 A동 305호
전화	1670-8316
E-mail	info@bookk.co.kr
ISBN	979-11-410-7566-8

www.bookk.co.kr

JUJU KOREAN LEVEL 1

JUJU 지음

BOOKK✎

Contents

제 1 과
N 입니다

격식적 상황 (formal setting)

The sentence subject is name, nationality, age, occupation, the name of an object···)

***

Noun + **입니까?** (subject + 입니까?)
Noun + **입니다.** (subject + 입니다.)

***

Noun + **이/가 아닙니다** (is not)

(받침 O) 수박 + **이 아닙니다.**
(받침 X) 커피 + **가 아닙니다.**

예문 (Example sentence)

커피**입니까?**
네, 커피**입니다.**
아니요, 커피**가 아닙니다.**

A: 안녕하세요. 저는 김민수입니다.

B: 안녕? 민수야, 반갑다.

A: 저는 서울에서 왔습니다.

B: 서울에서 왔구나. 우리 학교는 처음이지?

A: 네, 처음입니다.

B: 우리 학교는 좋은 학교야. 잘 적응해 봐.

A: 네, 잘 하겠습니다.

A / V ㅂ, 습니다

Sentence ending after the adjective stems and verb stems, formal setting.

(받침 O) A / V + **습니다.**
(받침 X) A / V + **ㅂ니다.**

(받침 O) 먹다 -> 먹+다 -> 먹 + **습니다.**
(받침 X) 마시다 -> 마시+다 -> 마시+ **ㅂ니다.** -> 마**십니다.**

Question

(받침 O) A / V + **습니까?**
(받침 X) A / V + **ㅂ니까?**

예문 (Example sentence)

아침에 커피를 마**십니까?**
네, 매일 커피를 마**십니다.**
아니요, 커피를 안 마**십니다.** 사과 주스를 마**십니다.**

아침에 밥을 먹**습니까?**
아니요, 샐러드를 먹**습니다.**

A: 안녕하세요? 여러분, 한국어 수업이 재미있습니까?

B: 네, 정말 재미있습니다.

A: 오늘은 한국어 문법 수업입니다.

B: 네, 알겠습니다.

A: "저는 학생입니다"는 "나는 학생이에요"의 격식적인 표현입니다.

B: 알겠습니다.

A: "한국어를 공부합니다"는 "한국어를 공부해요"의 격식적인 표현입니다.

B: 네, 알겠습니다.

A: 학교, 회사, 토픽 시험 등에서 매우 중요한 문법입니다.

B: 네, 열심히 공부하겠습니다.

A: 오늘 공부한 내용은 잘 이해하셨나요?

B: 네, 잘 이해했습니다.

A: 그럼, 수고하셨습니다. 다음 시간에 뵙겠습니다.

B: 네, 다음 시간에 뵙겠습니다.

A: 안녕히 가세요.

B: 안녕히 계세요.

A 다, V ㄴ 다/는다, N (이)다

This grammar is used to write facts such as newspaper articles, diaries, etc.

Adjective

(받침 O)　좋다　->　좋+**다**
(받침 X)　예쁘다 -> 예쁘+**다**

Verb

(받침 O)　　먹다　->　먹+**는다**
(받침 X)　마시다 -> 마시+**ㄴ다**

Noun

(받침 O)　　가방　-> 가방+**이다**
(받침 X)　　학교　-> 학교+(이)**다**

예문 (Example sentence)

오늘은 날씨가 좋**다**.
매일 아침에 샐러드를 먹**는다**.
여기는 내가 졸업한 학교**다**.

일기
2024년 3월 14일

봄이다.
공기는 상쾌하고 햇살은 따뜻하다.
그래서 산책을 나갔다.
공원에 작은 꽃밭이 있었다.
나는 꽃밭으로 들어갔다.
꽃에서 향기가 났다.
꽃밭에는 정말 많은 꽃들이 피어 있었다.
정말 아름다웠다.
꽃밭에서 오랫동안 즐거운 시간을 보냈다.

제 2 과

V 는 것

동명사 (Gerund)

'- 는 것 [neun.geot]' is used for formal situations, writing
And '- 는 거[neun.geo]' is used for speaking.

Verb

(받침 O) 먹다   ->   먹+다 ->   먹+는 것
(받침 X) 공부하다 -> 공부하+다 -> 공부하+는 것

예문 (Example sentence) & 줄임말 (abbreviation)

한국 드라마 보는 **것이** 좋아요.
한국 드라마 보는   **게** 좋아요.

한국어로 말하는 **것은** 재미있어요.
한국어로 말하는   **건** 재미있어요.

아침에 커피 마시는 **것을** 좋아해요.
아침에 커피 마시는   **걸** 좋아해요.

A: 주말에 보통 뭐 하세요?

B: 주말에 보통 도서관에서 책을 읽어요.

A: 저도 도서관에서 책을 읽는 것을 좋아해요.

B: 요즘은 어떤 책을 읽으세요?

A: 저는 요즘에 'JuJu Korean'을 읽고 있어요.

B: 오, 정말 좋은 한국어 책이죠?

A: 네, 맞아요. 우리 같이 이 책으로 공부하는 것이 어때요?

B: 네, 좋아요. 같이 공부해요.

V 기(가) A

This grammar is used to evaluate and judge behavior.
Verbs come before grammar and use adjectives to make judgements
and there are adjectives that is mainly used for evaluation.
'쉽다, 어렵다, 좋다, 나쁘다, 편하다, 불편하다 등'
'easy, difficult, good, bad, etc'
At the end of a sentence, present tense, past tense and future tense
can come.

Adjective

V **기(가)** 좋아요.
V **기(가)** 편해요.

Verb

(받침 O) 먹다 -> 먹+다 -> 먹+**기(가)** 좋아요.
(받침 X) 마시다 > 마시+다 -> 마시+**기(가)** 좋아요.

예문 (Example sentence)

이 곳은 산책하**기가** 좋아요.
한국은 살**기가** 편해요.

A: 오늘 날씨가 정말 좋아요.

B: 맞아요, 정말 햇살이 따뜻하고 바람도 상쾌해요.

A: 오늘은 산책하기 좋겠어요.

B: 맞아요. 그럼, 같이 산책 갈까요?

A: 좋아요. 정말 산책하기 좋은 날씨예요.

V 는 게 어때요?

This grammar is used to advise and recommend others to act

Verb

(받침 O) 먹다 -> 먹+다 -> 먹+**는게 어때요?**

(받침 X) 마시다 -> 마시+다 -> 마시+**는게 어때요?**

예문 (Example sentence)

아침에 커피를 마시**는 게 어때요?**

매일 한국어 공부를 하**는 게 어때요?**

A: 오늘 저녁에 뭐 할까요?

B: 아무거나요.

A: 같이 영화 보는 게 어때요?

B: 좋은 생각이에요. 한국 영화 보는 게 어때요?

A: 그럼, 요즘 새로 개봉한 '한국은 아름다워요' 영화 볼까요?

B: 그거 좋네요. 그럼 티켓 예매해요.

V (으)ㄴ 적(이) 있다(없다)

This grammar is used to say whether someone has experienced it or not.

Verb

(받침 O) 먹다 -> 먹+다 ->   먹+은 적(이) 있다(없다)
(받침 X) 마시다 -> 마시+다 -> 마시+ㄴ **적(이) 있다(없다)**

*먹어 보다 -> 먹어 보+다 (try eating) ->
-> 먹어 보+ㄴ **적이 있다(없다)**

예문 (Example sentence)

한국에 간 **적이 있어요?** - 아니요, 한국에 간 **적이 없어요.**
한국 음식을 먹은 **적이 있어요.**
한국 음식을 먹어 **본 적이 있어요.**

A: 은지씨, 스키 타 본 적 있어요?

B: 네, 어릴 때 친구들하고 같이 한 번 타 본 적이 있어요.

A: 재미있었어요?

B: 네, 정말 재미있었어요.

눈 덮인 산을 내려가는 느낌이 정말 좋았어요.

A: 저도 한 번 가보고 싶어요. 아직 기회가 없었어요.

B: 기회가 되면 꼭 한 번 가보세요.

정말 재미있는 경험이 될 거예요.

V (으)ㄹ 뻔 하다

This grammar is used to say the fact that almost occurred.

Verb

(받침 O)　먹다 ->　먹+다 ->　먹+**을 뻔하다**

(받침 X) 마시다 -> 마시+다 -> 마시+**ㄹ 뻔하다**

예문 (Example sentence)

다른 버스를 탈 **뻔했어요.** (버스를 타다)

A: 오늘은 거리에 사람이 정말 많네요.

B: 맞아요, 차도 많이 막혔어요.

A: 네, 맞아요. 저는 아까 길을 건너는데,
차가 너무 빨리 와서 죽을 뻔했어요.

B: 어머, 괜찮아요? 다치진 않았어요?

A: 다행히도 무사해요. 하마터면 사고를 당할 뻔했어요.

B: 정말 다행이에요.

A: 맞아요. 횡단보도를 건널 때는
항상 양쪽을 잘 살펴보고 건너야겠어요.

B: 네, 앞으로는 저도 조심해야겠어요.

제 3 과

V (으)ㄴ 지

This grammar is···

Someone did something.

It's used to say how long it's been since then.

Verb

(받침 O)   먹다 ->   먹+다 ->   먹+**은 지**

(받침 X) 마시다 -> 마시+다 -> 마시+**ㄴ 지**

예문 (Example sentence)

한국어를 공부한 **지** 얼마나 됐어요?

한국어를 공부한 **지** 7년 되었어요.

A: 한국에 온 지 얼마나 됐어요?

B: 2년 됐어요.

A: 벌써 2년이나 됐어요? 시간이 정말 빨라요.

B: 그래요. 한국 생활도 많이 익숙해졌어요.

A: 그래요? 한국어는 어때요?

B: 한국에서 한국어를 공부한 지 2년이 되니까
한국어도 잘 하게 됐어요.

A: 정말 대단해요.

B: 아니에요.

A (으)ㄴ지 A (으)ㄴ지, V 는지 V 는지

This grammar is used to ask and answer when you are curious about someone's behavior or situation.
It use opposite words together.
'먹다 <-> 못 먹다
공부하다 <-> 공부 안 하다'
먹다<-> 안 먹다 – the present tense
먹었다<-> 안 먹었다 – the past tense
먹을 거다 <-> 안 먹을 거다 -the future tense
So there's verbs, adjectives (at the end of this sentence) that's mainly used after this grammar.
'궁금하다, 모르겠다, 확인하다, 물어보다'

Adjectives

(받침 O)　좋+다 ->　　　　좋+은 지 안 좋+은지
(받침 X) 시원하+다 -> 시원하+ㄴ 지 안 시원하+ㄴ 지
　　　　*irregular
　　　　*-있다,-없다 -> 있+는지
　　　　맛있+다 -> 맛있+는지 맛없+는지

Verb

(받침 O) 먹+다 -> 먹+는지 안 먹+는지
(받침 X) 공부하+다 -> 공부하+는지 (공부) 안 하+는지

예문 (Example sentence)

나나가 지금 한국어를 공부하는지 안 하는지 궁금해요.
어제 눈이 왔는지 안 왔는지 모르겠어요.
내일 날씨가 좋을 지 안 좋을 지 확인할게요.

A: 오늘 날씨가 정말 좋네요.

B: 네, 정말 좋아요.

A: 벚꽃이 피었는지 안 피었는지 잘 모르겠어요.

B: 오늘 아침부터 피기 시작했어요.

A: 그럼, 우리 벚꽃 구경 갈래요?

B: 좋아요.

V 기로 하다

This grammar is used to make decisions and promises using verbs.

Verb

(받침 O) 먹+다 -> 먹+**기로 하다**

(받침 X) 마시+다 -> 마시+**기로 하다**

예문 (Example sentence)

여러분, 매일 한국어 공부를 하**기로 약속해요.**

내일 제주도에 가**기로 했어요.**

행복하게 살**기로 결심했어요.**

A: 이번 주말에 뭐 해요?

B: 잘 모르겠어요. 집에서 쉬기로 했어요.

A: 저는 산에서 등산하기로 했어요.

B: 좋네요. 그러면 같이 등산 갈까요?

A: 좋아요. 산에서 등산도 하고, 맛있는 밥도 먹기로 해요.

B: 좋아요. 그럼 제가 도시락을 준비하기로 할게요.

A: 어머, 정말요? 너무 맛있겠어요.

A/V 기는 하지만

This grammar is used to acknowledges what is expressed in verbs and adjectives.

But at the same time, it is used when you want to talk about the opposite story. Use '-하지만-'

Verb

(받침 O) 먹다 -> 먹+**기는 하지만**

(받침 X) 마시다 -> 마시+**기는 하지만**

Adjective

(받침 O) 좋다 -> 좋+**기는 하지만**

(받침 X) 예쁘다 -> 예쁘+**기는 하지만**

예문 (Example sentence)

떡볶이가 조금 맵**기는 하지만** 맛있어요.

A: 오늘 날씨가 너무 좋아요

B: 네, 맞아요. 햇살도 따뜻하고 바람도 불지 않아서
기분이 좋아요.

A: 바람이 불지 않으니까 날씨가 조금 덥네요.

B: 네, 맞아요. 조금 덥기는 하지만 그래도 맑은 날씨를
볼 수 있어서 기분이 좋아요.

A: 저도요. 맑은 날씨에 커피 한 잔 마시니까
기분이 더 좋아지네요.

B: 저도요. 오늘 하루도 즐겁게 보내요.

A: 네.

제 4 과

V 아,어 보다

This grammar is used like this.

Someone's trying.

Someone's experienced it once.

Verb

(ㅏ,ㅗ)   가다 -> **가요** ->   가 + 요 ->   가 + **보다** ->   가 + **봤어요**

(ㅓ,ㅜ,ㅣ …) 마시다 -> **마셔요** -> 마시어 + 요 -> 마셔 + **보다** ->   마셔 + **봤어요.**

(하다) 수영하다 -> **수영해요** -> 수영해 + 요 -> 수영해 + **보다** -> 수영해+ **봤어요**

예문 (Example sentence)

부산에 가 **봤어요.?**

아니요, 아직 안 가 **봤어요.**

광안리에 가 **보세요.**

김치를 만들어 **봤어요.**

A: 한국에서 처음 해 보는 것들이 많아서 재미있어요.

B: 그래요? 어떤 것들이요?

A: 예를 들어, 저는 한국 음식을 먹어 보는 게 정말 재미있어요.

B: 한국 음식 정말 맛있죠.

저는 김치찌개와 불고기를 먹어 봤어요.

A: 오, 그래요? 저도 김치찌개는 먹어 봤는데, 불고기는 아직

안 먹어 봤어요. 꼭 한번 먹어 보고 싶어요.

B: 그럼 같이 먹으러 가요. 제가 맛있는 불고기 집을 알아요.

A: 좋아요, 같이 가요.

V 아,어 보니까

This grammar is used like this.

After someone has experienced it, found out about something.

Verb

(받침 O) 먹다 -> 먹+어요 -> 먹어+요 -> 먹+**어 보니까**

(받침 X) 마시다 -> 마시+어요 -> 마셔+요 -> 마셔+**보니까**

공부하다 ->공부해+요 -> 공부해+요 -> 공부해+**보니까**

(* **보다** -> 봐요 -> 봐+보니까 (X), **보니까 (O)**)

예문 (Example sentence)

한국어를 공부해 **보니까** 너무 재미있어요.

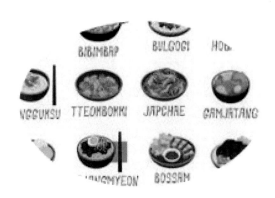

A: 한국 음식 정말 맛있네요.

B: 네, 맞아요. 한국 음식은 정말 다양하고 맛있어요.

A: 김치 먹어 보니까 어때요?

B: 김치요? 처음에는 맵고 시어서 싫었는데,

먹어 보니까 정말 맛있더라고요. 지금은 좋아해요.

A: 저도요, 근데 계속 먹다 보니까 이제는 맛있어요.

B: 네, 맞아요. 한국 음식 정말 좋아요.

제 5 과

A 아/어 보이다

This grammar is used to say what someone thinks after seeing something.

Adjective

(ㅏ,ㅗ)　　좋다 -> 좋아요 -> 좋아+요 -> 좋아+ **보이다**

(ㅓ,ㅜ,ㅣ …) 어리다 -> 어려요 -> 어려+요 -> 어려+ **보이다**

(하다)　　행복하다 -> 행복해요 -> 행복해+요 -> 행복해+ **보이다**

예문 (Example sentence)

선생님, 젊어 **보이세요.** (젊다)

아이들이 행복해 **보여요.**

A: 오늘 날씨가 정말 좋아 보여요.

B: 네, 그렇죠. 바람도 시원하고 햇살도 따뜻해 보여요.

A: 그럼, 저기 벤치에 앉아서 잠시 쉬었다 갈까요?

B: 좋아요.

N 처럼(같이)

This grammar is used to say something look or act like a noun.

Noun

(받침 O) 모델 -> 모델 + **처럼(같이)**

(받침 X) 가수 -> 가수 + **처럼(같이)**

예문 (Example sentence)

가수**처럼** 노래를 잘 불러요.

채소가 과일**처럼** 달아요.

베개가 구름**같이** 폭신해요.

부끄러워서 볼이 복숭아**같이** 빨개졌어요.

A: 미나 씨, 오늘 날씨 어때요?

B: 날씨가 정말 좋아요. 겨울인데 봄처럼 따뜻하네요.

A: 맞아요. 봄 같아요.

B: 한국은 봄에 새학기가 시작된대요.

A: 그래서 특히 봄이 새로운 시작 그리고 희망처럼 느껴져요.

B: 그렇군요. 봄에는 새로운 시작처럼 새싹도 자라나니까요.

A 게

This grammar is used to say how someone acted.

Use adjectives

Adjective

(받침 O) 좋다 -> 좋+다 -> 좋+**게**

(받침 X) 예쁘다 -> 예쁘+다 -> 예쁘+**게**

예문 (Example sentence)

(미용실에서)

머리 어떻**게** 해 드릴까요?

짧**게** 잘라 주세요.

예쁘**게** 해 주세요.

A: 이 공원은 정말 예쁘네요.

B: 네, 정말 좋네요.

A: 저기 꽃밭도 예뻐요.

B: 네, 꽃이 예쁘게 피었어요.

A: 우리도 예쁘게 사진을 찍을까요?

B: 네, 좋아요.

V 도록

This grammar is used to tell the purpose or reason of someone's action. formal situation.

Verb

(받침 O) 먹다 -> 먹+다 -> 먹+**도록**
(받침 X) 마시다 -> 마시+다 -> 마시+**도록**

예문 (Example sentence)

아이가 잘 먹**도록** 맵지 않게 요리해 주세요.
잘 보이**게** 글씨를 크게 써 주세요.

*시간 + **도록** (until)
밤 12시가 넘**도록** 한국어 공부를 했어요.

A: 오늘 시험이 있는데 잘 볼 수 있을까요?

B: 걱정하지 마세요. 평소에 열심히 공부했으니까

잘 볼 거예요.

A: 그래도 걱정이 되네요.

B: 그럼, 시험 전에 꼭 복습하도록 해요. 그러면 긴장도 덜하고,

시험 문제도 잘 풀 수 있을 거예요.

A: 네, 알았어요. 꼭 복습하도록 할게요.

B: 그래, 그럼 시험 잘 보고 오세요.

A: 네, 감사합니다.

제 6 과
A (으)ㄴ 데요, V 는데요, N인데요

This grammar is used to explain facts and expect a reaction from the other person.

Verb
(받침 O)   먹다 -> 먹+다 -> 먹+**는데요**
(받침 X) 마시다 -> 마시+다 -> 마시+**는데요**
*past (-았,-었,-했)
먹다 -> 먹었+다 -> 먹었+**는데요**

Adjective
(받침 O) 좋다 -> 좋+다 -> 좋+**은데요**
(받침 X) 예쁘다 -> 예쁘+다 -> 예쁘+**ㄴ 데요**
*-있다,-없다
재미있+는데요, 재미없+**는데요**

Noun
(받침 O)   한국 -> 한국+**인데요**
(받침 X) 한국어 -> 한국어+**인데요**

***-겠 (guess)
먹다 -> 먹었다 -> 먹겠+다 -> 먹겠+**는데요**
예쁘다 -> 예뻤다 -> 예쁘겠+다 -> 예쁘겠+**는데요**

예문 (Example sentence)

사과가 비**싼데요**~. 좀 깎아 주세요~.
제가 만든 케이크**인데요**~. 오~ 맛있**는데요**?

A: 오늘 미국 날씨가 정말 좋은데요?

B: 네, 맞아요.

A: 저는 한국에 안 가 봤는데요. 한국은 날씨가 어때요?

B: 한국은 사계절인데요. 계절마다 조금씩 달라요.

A: 저도 한국의 사계절을 꼭 경험해 보고 싶은데요?

B: 그럼 다음에 같이 여행을 가요.

A: 네, 좋아요. 언제 가는데요?

B: 날씨가 좋은 봄이나 가을에 가면 좋을 것 같아요.

A: 오~, 그때 가면 좋겠는데요?

A (으)ㄴ 데, V 는데, N 인데 (1)

This grammar is used to explain facts.

And The explanation is for the sentence that follows.

sentence before this grammar - explain the reason, fact, and situation.

sentence after this grammar - recommendation, question, request,

explanation.

Verb

(받침 O)　먹다 -> 먹+다 -> 먹+**는데**

(받침 X) 마시다 -> 마시+다 -> 마시+**는데**

Adjective

(받침 O) 좋다 -> 좋+다 -> 좋+**은데**

(받침 X) 예쁘다 -> 예쁘+다 -> 예쁘+**ㄴ 데**

*-있다,-없다 -> 있+**는데**, 없+**는데**

Noun

(받침 O)　한국 -> 한국+**인데**

(받침 X) 한국어 -> 한국어+**인데**

예문 (Example sentence)

오늘 날씨가 좋**은데** 공원에서 산책할까요?

콘서트 표가 있**는데** 같이 갈까요?

이 책은 한국어 책**인데** 정말 재미있어요.

A: 이 꽃 정말 예뻐요.

B: 네, 정말 예쁘네요. 이름이 뭐예요?

A: 이 꽃 이름은 '수선화'라고 해요. 봄에 피는 꽃인데,
꽃말이 '사랑의 약속'이에요.

B: '사랑의 약속'이요? 그럼 연인들이 많이 좋아하겠네요.

A: 네, 맞아요. 그래서 요즘은 연인들이 데이트하면서
수선화를 많이 사요.

B: 저 내일 데이트하는데 꽃집에 가서
수선화 한 송이를 사려고요.

A: 그럼, 여자친구분이 좋아하실 거예요.

A (으)ㄴ데, V 는데, N 인데 (2)

This grammar is used to explain facts.
And then say the opposite situation.

Verb

(받침 O)   먹다 -> 먹+다 -> 먹+**는데**
(받침 X) 마시다 -> 마시+다 -> 마시+**는데**

Adjective

(받침 O) 좋다 -> 좋+다 -> 좋+**은데**
(받침 X) 예쁘다 -> 예쁘+다 -> 예쁘+**ㄴ 데**

*-있다,-없다 -> 있+**는데**, 없+**는데**
*ㅂ 불규칙 - 맵다 -> 매우+어요(=>매워요) -> 매우+ㄴ 데
*ㄹ 불규칙 - 힘들다 -> 힘드 (ㄹ X) -> 힘드+ㄴ 데

Noun

(받침 O)   한국 -> 한국+**인데**
(받침 X) 한국어 -> 한국어+**인데**

예문 (Example sentence)

이 음식은 조금 매**운데** 맛있어요.
몸은 힘**든데** 기분은 좋아요.
한국어는 어려**운데** 재미있어요.

A: 이번 주말에는 숙제를 해야 겠어요.

B: 한국어 숙제예요?

A: 네, 한국어 공부를 좋아하는데 요즘은 조금 힘들어요.

B: 왜요?

A: 숙제를 해야 하는데 재미가 없어요.

B: 그럴 때는 다른 걸 해보는 것도 좋을 것 같아요.

A: 뭐가 좋을까요?

B: 한국 드라마를 보는 건 어때요?

한국어 공부인데 재미있어요.

A: 그게 좋을 것 같아요.

B: 그럼 같이 한국 드라마를 볼까요?

A: 좋아요!

A (으)ㄴ 가요?, V 나요?, N 인가요?

This grammar is only used to ask questions.
'먹어요? -> 먹+나요?'
The two grammars have the same meaning
'먹+나요?' is a softer, more polite grammar.

Verb
(받침 O) 먹다 -> 먹+다 -> 먹+**나요?**
(받침 X) 마시다 -> 마시+다 -> 마시+**나요?**

Adjective
(받침 O) 좋다 -> 좋+다 -> 좋+**은가요?** -> **좋은가요?**
(받침 X) 예쁘다 -> 예쁘+다 -> 예쁘+**ㄴ 가요?** -> **예쁜가요?**
*-있다,-없다 -> 있+**나요?**, 없+**나요?**

Noun
(받침 O) 한국 -> 한국+**인가요?**
(받침 X) 한국어 -> 한국어+**인가요?**

*past(-았,-었,-했)
먹었+**나요?**
행복했+**나요?**
한국이었+**나요?**

예문 (Example sentence)
(전화)
여보세요? 마이크 친구인데요. 마이크 있**나요?** (있다)
여보세요? 주주 회사입니다. 나나씨, 계**신가요?** (계시다)

A: 안녕하세요.

B: 안녕하세요.

A: 여기가 서울인가요?

B; 네, 여기가 서울이에요.

A; 날씨가 정말 좋은데요.

B: 네, 오늘 날씨가 참 좋네요.

A; 저도 한국어를 공부하고 있는데, 어려운가요?

B: 네, 처음에는 어렵지만,

열심히 하면 금방 잘 할 수 있을 거예요.

A: 감사합니다.

A (은)가 보다

This grammar is used to observe something and to say my guess.

Verb

(받침 O)　먹다 -> 먹+다 -> 먹+**나 보다**

(받침 X) 마시다 -> 마시+다 -> 마시+**나 보다**

Adjective

(받침 O) 좋다 -> 좋+다 -> 좋+**은가 보다** -> 좋은가 **보다**

(받침 X) 예쁘다 -> 예쁘+다 -> 예쁘+ㄴ **가 보다** -> 예쁜가 **보다**

*-있다,-없다 -> 있+**나 보다**, 없+**나 보다**

Noun

(받침 O)　한국 -> 한국+**인가 보다**

(받침 X) 한국어 -> 한국어+**인가 보다**

*past(-았,-었,-했)

먹었+**나 보다**

행복했+**나 보다**

한국이었+**나 보다**

예문 (Example sentence)

아리가 공부를 열심히 했**나 봐요**. 시험에 합격했어요.

사람들이 우산을 써요. 비가 오**나 봐요**.

A: 저기, 저 남자 유명한 연예인인가 봐요.

B: 아, 정말요? 왜 그렇게 생각하세요?

A: 저기 저 여자분들이 핸드폰으로 찍고 있어요.

B: 그러네요. 그리고 저 남자분은 계속 뒤돌아보고 있네요.

A: 아마 사인해달라고 하는 팬들이 많아서 그런가 봐요.

B: 혹시 아는 연예인인가요?

A: 아니요, 잘 모르겠어요. 근데 왠지 유명한 연예인 인 것 같아요.

V 고 나서

This grammar is used to describe what happens after an action is over.

Verb

(받침 O) 먹다 -> 먹+다 -> 먹+**고 나서**
(받침 X) 마시다 -> 마시+다 -> 마시+**고 나서**

예문 (Example sentence)

아침을 먹**고 나서** 운동을 해요.
회의를 하**고 나서** 식사를 했어요.

A: 영화 보고 나서 뭐 할까요?

B: 영화 보고 나서 피자 먹을까요?

A: 좋아요. 피자 주문하고 나서 영화 보자.

B: 알았어요.

A: 영화 재미있겠죠?

B: 네. 재미있을 거예요.

V 다가

This grammar is used to describe the sudden occurrence of something else during a situation or action.

Verb

(받침 O) 먹다 -> 먹+다 -> 먹+**다가**
(받침 X) 마시다 -> 마시+다 -> 마시+**다가**

예문 (Example sentence)

밥을 먹**다가** 전화를 받았어요. (전화를 받다 <-> 전화를 걸다 = 전화를 하다)
공부를 하**다가** 잤어요.
자**다(가)** 일어나서 열심히 공부를 해요.

A: 시험 준비 잘하고 있어요?

B: 네, 어제도 밤 늦게까지 공부하다가 잤어요.

A: 정말 열심히 준비하고 있네요.

B: 네, 지금 커피 한 잔 마시려고 해요. 같이 갈까요?

A: 좋아요. 커피 뭐 마실 거예요?

B: 저는 카페라테요.

A: 저도요. 같이 커피 마시다가 공부하러 가요.

B: 그래요.

A/V 았다가/었다가

This grammar is used
when someone do something else after someone have finished
doing it completely. the opposite expression is mainly used.

Verb

(ㅏ,ㅗ) 가다 -> 갔+다 -> 갔**+다가**
(ㅓ,ㅜ,ㅣ …) 먹다 -> 먹었+다 -> 먹었**+다가**
(하다) 공부하다 -> 공부했+다 -> 공부**했+다가**

Adjective

(ㅏ,ㅗ) 좋다 -> 좋았+다 -> 좋**았+다가**
(ㅓ,ㅜ,ㅣ …) 만들다 -> 만들었+다 -> 만들**었+다가**
(하다) 시원하다 -> 시원했+다 -> 시원**했+다가**

예문 (Example sentcncc)

도서관에 갔**다가** 자리가 없어서 집에 왔어요.
기차표를 예매**했다가** 취소했어요.

A: 안녕하세요. 오랜만이에요.

B: 네, 안녕하세요. 잘 지내셨어요?

A: 네, 잘 지냈어요. 그런데 오늘 왜 이렇게 늦었어요?

B: 아, 출근하려고 집에서 나갔다가 핸드폰이 없어서
집에 다시 갔어요.

A: 아, 그래요? 핸드폰 없으면 불안하죠?

B: 네, 그래요. 그래서 핸드폰은 항상 가방에 넣어요.

V 자마자

This grammar is used when someone does something else as soon as it's just finished.

Verb

(받침 O) 먹다 -> 먹+다 -> 먹+**자마자**
(받침 X) 마시다 -> 마시+다 -> 마시+**자마자**

예문 (Example sentence)

물을 마시**자마자** 뛰면 배가 아파요.
밥을 먹**자마자** 자면 살이 쪄요.
졸업을 하**자마자** 취업을 했어요.

A: 오늘 날씨가 너무 좋아요.

B: 네, 그렇죠? 나가서 산책할까요?

A: 좋아요.

B: 그럼, 아침 먹자마자 같이 나가요.

A: 정말 좋아요. 나가자마자 축구하고 싶어요.

B: 그래요, 운동도 하고 기분 전환도 해요.

A/V 겠

This grammar is used to say speculation or will.

Verb

(받침 O) 먹다 -> 먹+다 -> 먹+**겠다**
(받침 X) 가다 -> 가+다 -> 가+**겠다**

Adjective

(받침 O) 좋다 -> 좋+다 -> 좋+**겠다**
(받침 X) 바쁘다 -> 바쁘+다 -> 바쁘+**겠다**

예문 (Example sentence)

내일 날씨가 좋**겠**어요. (좋다)
기분이 좋았**겠**어요. (좋았다)
영화가 재미있**겠**어요.
한국어 공부를 더 열심히 하**겠**어요! (will)

A: 오늘은 주말이라서 친구하고 영화보러 가요.

B: 재미있겠어요.

A: 미나씨도 영화보러 갈래요?

B: 미안해요. 이번 주는 일 때문에 바빠서 못 가요.

A: 아, 지난번에 말한 일 말이죠? 많이 바쁘겠어요.

B: 네, 빨리 일을 마치고 쉬면 좋겠어요.

A: 그래요. 조금만 더 힘내세요. 금방 마칠 수 있을 거예요.

B: 고마워요.

A/V 았으면/었으면 좋겠다

This grammar is used when you want to say hope.
(It is an expression used when the possibility is low.)
It's not the past tense.

Verb

(ㅏ,ㅗ) 가다 -> 갔+다 -> 갔+**으면 좋겠다**
(ㅓ,ㅜ,ㅣ …) 먹다 -> 먹었+다 -> 먹었+**으면 좋겠다**
(하다) 공부하다 -> 공부했+다 -> 공부했+**으면 좋겠다**

Adjective

(ㅏ,ㅗ) 좋다 -> 좋았+다 -> 좋았+**으면 좋겠다**
(ㅓ,ㅜ,ㅣ …) 예쁘다 -> 예뻤+다 -> 예뻤+**으면 좋겠다**.
(하다) 행복하다 -> 행복했+다 -> 행복했+**으면 좋겠다**
*있다,없다
재미있다 -> 재미있**었** ㅣ**으면 좋겠다**

예문 (Example sentence)

내일 날씨가 좋**았으면 좋겠어요**.
세계 여행을 갔**으면 좋겠어요**
우주 여행을 했**으면 좋겠어요**.

A: 어제 날씨가 정말 좋았어요.

B: 네, 내일도 날씨가 좋았으면 정말 좋겠어요.

산책하기 딱 좋을 것 같아요.

A: 네, 맞아요. 그리고 빨리 벚꽃이 피었으면 좋겠어요.

B: 벚꽃이 피면 정말 예쁠 것 같아요.

같이 벚꽃 구경갔으면 좋겠어요.

A: 저도요. 벚꽃이 피면 같이 구경하러 갈래요?

B: 네, 좋아요. 같이 가요.

제 9 과

V (으)면 되다

This grammar is used to describe a solutions or rules.

Verb

(받침 O) 앉다 -> 앉+으면 되다 -> 앉+**으면 돼요**
[안즈면]
(받침 X) 가다 -> 가+면 되다 -> 가+**면 돼요**
[가면]

예문 (Example sentence)

학교에 9시까지 가**면 돼요.**

열심히 연습하**면 돼요.**

A: 실례합니다. 여기서 지하철역까지 어떻게 가나요?

    B: 네, 여기서 앞으로 쭉 가시면 돼요.

    A: 감사합니다. 그럼 쭉 가면 되나요?

    B: 네, 쭉 가다가 횡단보도를 건너세요.

V (으)면 안 되다

This grammar is used to describe prohibited matters.

Verb

(받침 O) 먹다 -> 먹+다 -> 먹+**으면 안 되다** -> 먹+**으면 안 돼요**

(받침 X) 마시다 -> 마시+다 -> 마시+**면 안 되다** -> 마시+**면 안 돼요**

예문 (Example sentence)

여기에서 사진을 찍**으면 안 돼요.**

수영을 하**면 안 됩니다.**

A: 여기서 공놀이 하면 안 돼요?

B: 네, 여기에서 공놀이를 하면 안 돼요.

　　자동차가 있어서 위험해요.

A: 그럼 어디서 공놀이해도 돼요?

B: 공원 안에서 공놀이를 하면 돼요.

A: 네, 그럼 공원 안에서 공놀이 할게요.

B: 그래요, 재미있게 놀고 오세요.

V 아도/어도 되다

This grammar is used to explain that it is permissible to act.

Verb

(ㅏ,ㅗ) 가다 -> 가+요 -> 가+**도 되다** -> 가+**도 돼요** (되어요-> 돼요)

(ㅓ,ㅜ,ㅣ …) 먹다 -> 먹어+요 -> 먹어+**도 되다** -> 먹어+**도 돼요**

(하다) 수영하다 -> 수영해+요 -> 수영해+**도 되다** -> 수영해+**도 돼요**

예문 (Example sentence)

한우가 다 익었어요. 지금 먹**어도 돼요.**

여기에서 수영**해도 돼요?**

지금 가**도 될까요?**

A: 실례합니다. 여기서 컴퓨터를 사용해도 돼요?

B: 네, 컴퓨터는 자유롭게 사용해도 됩니다.

하지만 출력하는 것은 안 됩니다.

A: 알겠습니다. 감사합니다.

B: 네, 혹시 다른 도움이 필요하신가요?

A: 네, 혹시 책을 대여해도 되나요?

B: 네, 책 대여는 3층에서 할 수 있습니다.

엘리베이터를 타고 가도 돼요.

A: 감사합니다.

B: 네, 감사합니다.

A 다면, V ㄴ 다면/는다면, N(이)라면

This grammar is used to say that if something is done,
An action or situation Will follow accordingly.
(It is an expression used when the possibility is low.)

Verb

(받침 O) 먹다 -> 먹+**는다면**
(받침 X) 가다 -> 가+**ㄴ 다면**

Adjective

(받침 O) 좋다 -> 좋+**다면**
(받침 X) 바쁘다 -> 바쁘+**다면**

Noun

(받침 O) 삼계탕 -> 삼계탕+**이라면**
(받침 X) 커피 -> 커피+**라면**

*past(-았,-었,-했/noun-이었,-었)
먹**었+다면**
행복**했+다면**
커피**였+다면**

예문 (Example sentence)

매운 음식을 잘 먹**는다면** 이 음식을 먹어보세요.
음식이 맛이 없**다면** 환불해 드리겠습니다.

A: 만약에 휴가 때 한국에 간다면 맛있는 음식을 먹고 싶어요.

B: 무슨 음식을 먹고 싶으세요?

A: 음, 간장 새우장하고 삼계탕을 먹을 거예요.

B: 저도 한국에 간다면 뭐 하고 싶을지 생각해 봤어요.

A: 뭐 하고 싶으세요?

B: 가을이라면 남이섬에 가고, 여름이라면 제주도에 갈 거예요.

A: 그것도 좋겠어요. 정말 재미있을 것 같아요.

B: 맞아요. 지금이 휴가라면 좋겠어요.

A/V 았더라면/었더라면

This grammar is used to imagine a different past.

What if there was a situation like that?

What if it didn't happen?

Verb

먹다 -> 먹었+다 -> 먹었**+더라면**

가다 -> 갔+다 -> 갔**+더라면**

요리하다 -> 요리했+다 -> 요리했**+더라면**

Adjective

좋다 -> 좋았+다 -> 좋았**+더라면**

예쁘다 -> 예뻤+다 -> 예뻤**+더라면**

따뜻하다 -> 따뜻했+다 -> 따뜻했**+더라면**

예문 (Example sentence)

어제 날씨가 좋**았더라면** 소풍 갔을 거예요.

크리스마스에 눈이 왔**더라면** 기뻤을 텐데…

감자국에 소금을 조금만 넣**었더라면** 맛있었을 텐데… 아쉽다.

당신이 없**었더라면** 저는 성공하지 못했을 거예요. 고마워요.

A: 어제 날씨가 좋았더라면 소풍 갔을 거예요.

B: 그래요. 어제 비가 와서 소풍도 못 가고 한국어 공부만 했어요.

A: 아리씨는 어제 비가 안 왔더라면 뭐 했을 거예요?

B: 비가 안 왔더라면 바다로 가서 수영을 하고, 산으로 가서
등산을 했을 거예요.

A: 그럼, 다음 주말에 같이 여행 갈까요?

B: 좋아요. 어디로 갈 지 생각해 봐요.

A/V 거든

This grammar is used to ask or order someone to do something if a situation arises.
(The sentence before this grammar tells the situation.)

Verb

먹다 -> 먹+다 -> 먹+**거든**
마시다 -> 마시+다 -> 마시+**거든**

Adjective

좋다 -> 좋+다 -> 좋+**거든**
바쁘다 -> 바쁘+다 -> 바쁘+**거든**

예문 (Example sentence)

한국에 도착**하거든** 연락하세요.
아이가 열심히 공부하**거든** 칭찬해 주세요.

A: 어디에서 만날까요?

B: 극장 앞에서 만날까요?

A: 좋아요.

B: 극장에 먼저 도착하거든 연락하세요.

A: 좋아요. 무슨 영화를 볼지 모르겠어요.

B: 제가 추천해 줄게요. 요즘 재미있는 영화가 많이 나왔어요.

A: 알았어요. 아리씨가 추천해 주는 영화로 봐요.

제 11 과

A/V (으)ㄹ 때

This grammar is used to say what you do at that time when you have an action or situation.

Verb

(받침 O) 먹다 -> 먹+다 -> 먹+**을 때** -> 먹**을 때**
(받침 X) 마시다 -> 마시+다 -> 마시+**ㄹ 때** -> 마실 **때**

Adjective

(받침 O) 좋다 -> 좋+다 -> 좋+**을 때** -> 좋**을 때**
(받침 X) 행복하다 -> 행복하+다 -> 행복하+**ㄹ 때** -> 행복**할 때**

예문 (Example sentence)

한국어를 공부**할 때** 제일 즐거워요.
날씨가 좋**을 때** 같이 소풍가요.

A: 좋은 음악이네요.

B: 네, 정말 좋네요. 저는 음악을 들을 때 기분이 좋아요.
은미씨는요?

A: 저는 날씨가 좋을 때 산책을 하는 걸 좋아해요.
그러면 기분이 더 좋아요.

B: 저도요. 저는 산책을 하면서 자연을 느끼는 게 좋아요.

A: 저희 같이 산책 갈래요?

B: 네, 좋아요.

A: 그럼, 출발!

A/V 았을/었을 때

This grammar is used to say what you did when you had an action or situation in the past.
(When we talk about a specific time in the past (childhood, one's school days etc.)
You can use both grammar. A/V (으)ㄹ 때, A/V 았을/었을 때)

Verb

(받침 O) 먹다 -> 먹었+다 -> 먹었+을 때
(받침 X) 가다 -> 갔+다 -> 갔+을 때
        운전하다 -> 운전했+다 -> 운전했+을 때

Adjective

(받침 O) 좋다 -> 좋았+다 -> 좋았+을 때
(받침 X) 바쁘다 -> 바빴+다 -> 바빴+을 때

예문 (Example sentence)

어제 비가 왔을 때 편의점에서 우산을 샀어요.
어렸을 때 한국어 공부를 했어요.
어릴 때 한국어를 배웠어요.

A: 어렸을 때 꿈이 뭐였어요?

B: 전 어렸을 때 화가가 꿈이었어요. 제가 그림 그리는 것을 좋아해서 학교에서
상도 받았어요.

A: 오, 그럼 그림을 잘 그리겠어요.

B: 네, 어렸을 때는 많이 그렸으니까요.
요즘은 바빠서 그릴 시간이 없어요.

A: 그래도 그림 그리면서 즐거운 추억이 많이 생겼겠어요.

B: 네, 맞아요. 그림 그리면서 친구들하고도 더 친해졌고,
저도 그림을 더 좋아하게 됐어요.

제 12 과

V 아/어 주다

This grammar is used to act for others.

아/어 주다 -> **~줄까요?, ~줘요,줬어요**

Honorific - 주실까요(줄까요)?, ~주세요(줘요), 주셨어요(줬어요), 드려요
(줘요), 드렸어요(줬어요)

Verb

(ㅏ,ㅗ) 오다 -> 와+요 -> 와+**주다** -> 와+**줘요** (주어요-> **줘요**)

(ㅓ,ㅜ,ㅣ …) 쓰다 -> 써+요 -> 써+**주다** -> 써+**줘요**

(하다) 노래하다 -> 노래해+요 -> 노래해+**주다** -> 노래해+**줘요**

예문 (Example sentence)

케이크 사 **줄까요?**

     - 네, 딸기 케이크를 사 **주세요.**

어제 친구가 저를 위해 노래해 **줬어요.**

     - 그래서 오늘은 제가 친구에게 노래해 **줬어요.**

A: 식사 하셨어요?

B: 아니요. 아직 안 먹었어요.

A: 그럼, 같이 먹을까요? 제가 요리해 줄게요.

B: 좋아요. 그럼 저는 디저트를 만들어 드릴게요.

A: 와! 정말 맛있겠어요. 잘 먹겠습니다.

B: 네, 맛있게 드세요.

V 아다/어다 주다

This grammar is used to act for others. It's for speaking, informal.
It is mainly used to move people, things, animals, etc.

아다/어다 주다 -> **~아다/어다 줄까요?,~아다/어다 줘요,줬어요**

Honorific - 아다/어다 + 주실까요(줄까요)?, ~주세요(줘요), 주셨어요(줬
어요), 드려요(줘요), 드렸어요(줬어요)

Verb

(ㅏ,ㅗ) 사다 -> 사+요 -> 사+**다 주다** ->사+**다 줘요**

(ㅓ,ㅜ,ㅣ …) 만들다 -> 만들어+요 -> 만들어+**다 주다** -> 만들어+**다 줘요**

(하다) 요리하다 -> 요리해+요 -> 요리해+**다 주다** -> 요리해+**다 줘요**

예문 (Example sentence)

버블티 사**다 줄까요?**
    - 아니요, 괜찮아요. 방금 마셨어요.
어제 친구가 저를 학교까지 데려**다 줬어요.**
할머니, 제가 모셔**다 드릴게요.**

어느 장소까지 함께 가다. (go with someone to a place)
*데리다 (모시다 honorific) -> 데리+러 가요. (모시+러 가요.)
*데려가다 (모셔가다) -> (데려+다 줄게요. (모셔+다 드릴게요.)

A: 여보세요? 영희씨, 저 지금 마트에 왔어요.

뭐 필요한 거 있으세요?

B: 네, 그럼 우유랑 과일 좀 사다 주세요.

A: 네, 알겠어요. 문구점에도 가는 데 뭐 사다 줄까요?

B: 정말요? 그럼, 볼펜 2자루만 사다 주세요. 감사합니다.

A: 아니에요. 금방 갈게요.

B: 네, 알겠어요.

제 13 과

V 아지다/어지다

Passive verb vs Active verb

This grammar is used when a fact is caused by something

Verbs used primarily

쓰다(써**지다**), 깨다(깨**지다**), 알리다(알려**지다**),

끄다(꺼**지다**), 외우다(외워**지다**), 정하다(정해**지다**),

지우다(지워**지다**), 만들다(만들어**지다**), 믿다(믿어**지다**), 짓다(지어**지다**)등

Verb

알리다 -> 알려+요 -> 알려+**지다** -> 알려+**져요**

정하다 -> 정해+요 -> 정해+**지다** -> 정해+**져요**

예문 (Example sentence)

이 아파트는 1년 전에 지어**졌어요**. 신축 아파트예요.

이 꽃병은 플라스틱으로 만들어**졌어요**.

이 책이 베스트셀러가 되었어요. 믿어**지지** 않아요 *^^*

JUJU KOREAN LEVEL 1 \

A: 이 아파트는 3년 전에 지어졌어요.

B: 그래요? 좋네요. 지하철도 가까워요.

A: 네, 곧 아파트 앞에 버스 정류장도 생겨요.

B: 버스 정류장이 만들어지면 더 편리하겠어요.

A: 네, 그런데 아직 날짜는 안 정해졌어요.

B: 빨리 날짜가 정해지면 좋겠어요.

A: 맞아요.

V 게 되다

This grammar is used when something changes.
The reasons for this change is not one's own will.

Verb

(받침 O) 먹다 -> 먹+다 -> 먹+게 **되다** -> 먹+게 **되어요** -> 먹+게 **돼요**

(받침 X) 보다 -> 보+다 -> 보+게 **되다** -> 보+게 **되어요** -> 보+게 **돼요**

공부하다 -> 공부하+다 -> 공부하+게 **되다** -> 공부하+게 **되어요** -> 공부하+게 **돼요**

예문 (Example sentence)

새해에는 열심히 운동을 하**게 돼요.**

한국 드라마를 자막 없이 보**게 됐어요.**

이 책으로 재미있게 한국어를 공부하**게 되었어요.**

A: 오늘 날씨가 참 좋네요.

B: 네, 그렇죠. 맑은 하늘과 푸른 나무를 보면 더 열심히
산책을 하게 돼요.

A: 네, 산책을 하다 보면 스트레스도 싹 풀리는 것 같아요.

B: 저도 그래요. 요즘 공원에서 운동도 자주 하게 되네요.

B: 네, 저도 요즘 공원에서 운동을 시작했어요.

A: 그럼, 우리 같이 운동을 해볼까요?

B: 네, 좋아요. 같이 운동하면 더 재미있을 것 같아요.

A 아지다/어지다

Passive voice vs Active voice

Adjective

(ㅏ,ㅗ) 많다 -> 많아+요 -> 많아+**지다** -> 많아+**져요**

(ㅓ,ㅜ,ㅣ) 덥다 -> 더워+요 -> 더워+**지다** -> 더워+**져요**

(하다) 행복하다 -> 행복해+요 -> 행복해+**지다** -> 행복해+**져요**

예문 (Example sentence)

날씨가 더워**졌어요.**

공원에 사람이 많아**졌어요.**

맛있는 음식을 먹으면 행복해**져요.**

A: 봄이 와서 날씨가 많이 따뜻해졌어요.

B: 맞아요. 옷도 얇아졌어요.

A: 그런데, 옷이 너무 얇아서 감기에 걸릴까 봐 걱정이돼요.

B: 걱정 마세요. 따뜻한 옷을 겹쳐 입으면 괜찮을 거예요.

A: 그래요. 고마워요.

V 게 하다

Passive verb vs Active verb

causative verb

This grammar is used to make other people do something.

Verb

(받침 O) 먹다 -> 먹+다 -> 먹+**게 하다**
(받침 X) 사다 -> 사+다 -> 사+**게 하다**

예문 (Example sentence)

BTS가 저에게 한국어 공부하**게 했어요.**
할머니가 저에게 건강 음료 마시**게 했어요.**
의사 선생님이 스티븐에게 매일 한 시간씩 운동하**게 했어요.**

A: 한국어는 어떻게 공부하게 되셨어요?

B: 할머니께서 저에게 한국어를 공부하게 했어요.

A: 아, 할머니께서 한국분 이세요?

B: 네, 그래서 한국 음식도 만들게 하셨어요.

A: 음식 만드는 것을 좋아하세요?

B: 네, 제 꿈이 요리사거든요. 그래서 매일 요리를 만들어요.

A: 와, 정말 멋있네요.

피동, 사동

Passive verb vs Active verb
causative verb

피동 - passive verb-This grammar is used when a fact is caused **by something**

사동 - causative verb - This grammar is used **to do** something to someone

verb form (There are irregularities)
피동 passive verb (-이-, -히-, -리-, -기-)

(이) 보다(보이다)/ 놓다(놓이다)/ 쓰다(쓰이다)/ 꺽다(꺽이다)/ 잠그다(잠기다)

(히) 먹다(먹히다)/ 읽다(읽히다)/ 막다(막히다)/ 잡다(잡히다)/ 뽑다(뽑히다)/
닫다(닫히다)

(리) 듣다(들리다)/ 걸다(걸리다)/ 열다(열리다)/ 팔다(팔리다)/ 뚫다(뚫리다)/
자르다(잘리다)

(기) 안다(안기다)/ 끊다(끊기다)/ 쫓다(쫓기다)/ 찢다(찢기다)/ 뜯다(뜯기다)/
빼앗다(빼앗기다)

예문 (Example sentence)

아름다운 부산이에요. 바다가 보여요.
주말이라서 차가 많이 막혀요.
아이들의 웃음 소리가 들려요.
와이파이가 끊겼어요.
문이 저절로 열렸어요.

verb form (There are irregularities)

사동 causative verb (-이-,-히-,-리-,-기-,-우-,-구-,-추-)

(이) 먹다(먹이다)/ 보다(보이다)/ 높다(높이다)/ 붙다(붙이다)/ 끓다(끓이다)/ 죽다(죽이다)/녹다(녹이다)/속다(속이다)

(히) 읽다(읽히다)/ 입다(입히다)/ 밝다(밝히다)/ 넓다(넓히다)/ 앉다(앉히다)/ 눕다(눕히다)/ 맞다(맞히다)/ 좁다(좁히다)

(리) 알다(알리다)/ 울다(울리다)/ 놀다(놀리다)/ 살다(살리다)/ 걷다(걸리다)/ 날다(날리다)/ 구르다(굴리다)/ 흐르다(흘리다)

(기) 벗다(벗기다)/ 웃다(웃기다)/ 신다(신기다)/ 맡다(맡기다)/ 씻다(씻기다)/ 감다(감기다)/ 숨다(숨기다)/ 굶다(굶기다)

(우) 자다(재우다)/ 크다(키우다)/ 타다(태우다)/ 쓰다(씌우다)/ 깨다(깨우다)/ 차다(채우다)/ 서다(세우다)

(구) 돋다(돋구다)/ 달다(달구다)/ 솟다(솟구다)

(추) 늦다(늦추다)/ 낮다(낮추다)/ **(물건의 크기, 배열등)맞다(맞추다), ((정답,화살)맞다(맞히다)**

예문 (Example sentence)

라면을 끓여요.
저는 강아지에게 옷을 입혀요.
제가 강아지에게 옷을 거꾸로 입혔어요.
강아지가 저를 웃겨요.
자고 있는 친구를 깨웠어요.

======= 대화문 영어 해설 =======

1.

A: Hello, I'm Min-su.

B: Hello, Minsu. Nice to meet you.

A: I'm from Seoul.

B: You are from Seoul. Is this your first time at our school?

A: Yes, it's my first time.

B: Our school is a good school. Get used to it.

A; Yes, I'll do my best.

2.

A: Hello, teacher. Are you enjoying the Korean class?

B: Yeah, it's really fun.

A: Today is a Korean grammar class.

B: Yes.

A: "저는 학생입니다" is a formal expression of "나는 학생이에요."

B: Okay.

A: "한국어를 공부합니다" is a formal expression of " 한국어를 공부해요."

B: Yes.

A: It's a very important grammar in school, business, and topic test.

B: Yes, I will study hard.

A: Did you understand what you studied today?

B: Yes, I understand.

A: Thank you for your efforts. See you next time.

B: Yes, I'll see you next time.

A: Goodbye.

B: Goodbye.

3.

Today's diary

March 14, 2024

It is spring.

The air is fresh and the sun is warm.

So I went for a walk.

There was a small flower garden in the park.

I entered the flower garden.

The flowers smelled.

There were so many flowers in the flower garden.

It was very beautiful.

I had a good time in the garden for a long time.

4

A: What do you usually do on weekends?

B: I usually read books in the library on weekends.

A: I also like reading books in the library.

B: What books do you read these days?

A: I've been reading 'JuJu Korean' these days.

B: Oh, that's a really good Korean book, isn't it?

A: Yes, that's right. Why don't we study together with this book?

B: Yes, good. Let's study together.

5.

A: The weather is really nice today.

B: Yes, the sun is really warm and the wind is refreshing.

A: I think it's good to take a walk today.

B: Right. Then shall we go for a walk together?

A: Great. It's such a nice day for a walk.

6

A: what should we do tonight?

B: Anything.

A: Why don't we watch a movie together?

B: That's a good idea. How about watching a Korean movie?

A: Then, should we watch the movie '한국은 아름다워요' that was

Released this time?

B: Sounds good. Then book a ticket.

7

A: Eun-ji, have you ever tried skiing?

B: Yes, I rode it with my friends once when I was young.

A: Did you have fun?

B: Yes, it was a lot of fun. I really liked the feeling of going down the snowy mountain.

A: I want to go there, I haven't had a chance yet.

B: If you have a chance, you should go there. It will be a really fun experience.

8

A: There are so many people on the street today.

B: That's right. there was a lot of traffic.

A: Yeah, that's right, I was crossing the street earlier, the car came so fast that I almost died.

B: Oh, are you okay? Are you hurt?

A: Fortunately, it's okay. I almost had an accident.

B: I'm so glad.

A: You're right. You always have to look both ways when you cross a crosswalk.

B: Yeah, I should be careful from now on.

9

A: How long have you been in Korea?

B: It's been two years.

A: It's already bee 2years. Time really flies.

B: Yes, I got used to living in Korea.

A: Really? How about Korean?

B: It's been 2years since I studied Korean, so I'm good at it.

A: That's amazing.

B: No, it's not.

10

A: The weather is really nice today.

B: Yes, it's really good.

A: I don't know if the cherry blossoms have bloomed or not.

B: I started blooming this morning.

A: Then do you want to go see cherry blossoms?

B: Sounds good.

11

A: What are you going to do this weekend?

B: I don't know. We decided to rest at home.

A: I decided to go hiking in the mountains.

B: Sounds good. Then shall we go hiking together?

A: Okay. Let's go to the mountains and eat delicious food.

B: Okay. Then I'll prepare a lunch box.

A: Oh, really? I think it's going to be delicious.

12

A: The weather is so nice today.

B: Yes, that's right. It's nice because the sun is warm and there's no wind.

A: But The weather is a little hot because it's not windy.

B: Yes, it is. It is a little hot, but I still feels good to see the sunny weather.

A: Me too. Drinking a cup of coffee on a sunny day makes me feel better.

B: Me, too. Let's have a great day today.

A: Yeah, me too.

13

A: It's fun because there are many things I've never done before in Korea.

B: Really? Which one?

A: For example, I really enjoy trying Korean food.

B: Korean food is really delicious. I tried kimchi stew and bulgogi.

A: Oh, really? I've tried kimchi stew but not bulgogi yet.
   I really want to eat it.

B: Then let's go eat together. I know a good bulgogi place.

A: All right, let's go together.

14

A: Korean food is really good

B: Yes, that's right. Korean food is very diverse and delicious.

A: How does it feel to try kimchi?

B: Kimchi? I didn't like it at first because it was spicy and sour, but when I tried it again, it was really good. I like it now.

A: Me too, But now it's delicious as I keep eating it.

B: Yes, that's right. I love Korean food.

15

A: The weather looks really nice today.

B: Yes, that's right. The wind is cool, The sunlight looks warm, too.

A: Then, shall we sit on the bench over there and take a break?

B: Sounds good.

16

A: Mina, how is the weather today?

B: The weather is really nice. It's winter, but it's warm like spring.

A: That's right. It's like spring.

B: The new semester starts in spring in Korea.

 So spring especially feels like a new starts and hope.

A: I see. Sprouts grow like new starts in spring.

17

A: This park is really pretty.

B: Yes, that's great.

A: The flower garden over there is pretty, too.

B: Yes, the flowers bloomed beautifully.

A: Should we take a pretty picture, too?

B: Yes, that's great.

18

A: I have an exam today, can I do well?

B: Don't worry. You'll do well because you've always studied hard.

A: But I'm still worried.

B: Then, make sure to review it before the test. Then you
   will be less nervous and will be able to solve the test questions well.

A: Okay. I'll make sure to review it.

B: Okay, good luck on your test then.

A: Yes, thank you.

19

A: The weather in the U.S. is really nice today?

B: Yes, that's right.

A: I haven't been to Korea. How is the weather in Korea?

B: Korea has four seasons. It varies from season to season.WWW

A: I really want to experience the four seasons of Korea, too?

B: Then let's go on a trip together next time.

A: Yes, good. When are you going?

B: I think it would be good to go in spring or fall when the weather is
   nice.

A: Oh, I hope we can go then?

20

A: This flower is really pretty.

B: Yes, it's really pretty. What's your name?

A: The name of this flower is 'Daffodil flower'. It's a flower that
   blooms in spring, and the flower word is 'Promise of Love'.

B: "Promise of Love"? Then lovers will like it a lot.

A: Yes, that's right. So many couples buy daffodils on dates these days.

B: I'm going on a date tomorrow, so I'm going to go to a florist and buy
   a daffodil.

A: Then your girlfriend will like it.

21

A: I have to do my homework this weekend.

B: Is it your Korean homework?

A: Yes, I like studying Korean, but it's a little hard these days.

B: Why?

A: I have to do my homework, but it's not fun.

B: In that case, I think it would be a good idea to try something else.

A: What would be good?

B: How about watching a Korean drama? I'm studying Korean, and it's fun.

A: I think that would be good.

B: Then shall we watch a Korean drama together?

A: Sounds good!

22

A: Hello.

B: Hello.

A: Is this Seoul?

B: Yes, this is Seoul.

A: The weather is really nice.

B: Yes, the weather is very nice today.

A: I'm also studying Korean, is it difficult?

B: Yes, it's hard at first, but if you work hard, you'll be able to do it quickly.

A: Thank you.

23

A: Excuse me, I think that man is a famous celebrity.

B: Oh, really? Why do you think so?

A: Those women over there are taking pictures with their phones.

B: You're right. And that man keeps looking back.

A: I guess it's because there are a lot of fans asking for autographs.

B: Do you know that celebrity?

A: No, I'm not sure. But I think he's a famous celebrity.

24

A: What should I do after watching the movie?

B: Shall we eat pizza after watching a movie?

A: Sounds good. Let's order pizza and watch a movie.

B: All right.

A: The movie will be fun, right?

B: Yes. I think It's going to be fun.

25

A: Are you preparing well for the test?

B: Yes, I studied until late last night and slept.

A: You're preparing really hard.

B: Yes, I'm going to have a cup of coffee now. Do you want to come with me?

A: Good. What coffee are you going to drink?

B: I want to eat cafe latte.

B: Me, too. Let's drink coffee and go study together.

A: Yes.

26

A: Hello. Long time no see.

B: Yes, hello. How have you been?

A: Yes, I'm fine. But why were you so late today?

B: Oh, I left home to go to work, but I went home again because I didn't have my cell phone.

A: Oh, really? You're nervous without your phone, right?

B: Yes, really. That's why I always put my phone in my bag.

27

A: The weather is so nice today.

B: Yes, right? Shall we go out for a walk?

A: All right.

B: Then, let's go out together as soon as we have breakfast.

A: I love it. I want to play soccer as soon as I leave.

B: Yes, let's exercise and change of mood.

28

A: Today is the weekend, so I'm going to watch a movie with my friend.

B: That sounds fun.

A: Mina, do you want to go see a movie, too?

B: I'm sorry. I can't go this week because I'm busy with work.

A: Oh, you're talking about last time, right? You must be very busy.

B: Yes, I hope I can finish my work quickly and take a rest.

A: Okay. Cheer up a little more. You'll be able to finish it quickly.

B: Thank you.

29

A: The weather was really nice yesterday.

B: Yes, I really hope the weather is nice tomorrow, too. It would be perfect for a walk.

A: Yes, that's right. And I hope cherry blossoms bloom soon.

B: It would be so pretty when the cherry blossoms bloom. I hope we can go see them together.

A: Me too. Do you want to go see cherry blossoms together?

B: Okay. Let's go together.

30

A: Excuse me. How can I get to the subway station from here?

B: Yes, you can go straight from here.

A: Thank you. Then should I go straight?

B: Yes, go straight and cross the crosswalk.

31

A: Can't we play ball here?

B: Yeah, you can't play ball here. It's dangerous because there are cars.

A: So where can I hit the ball?

B: You can play ball in the park.

A: Okay, then I'll play ball in the park.

B: Yes, have fun.

32

A: Excuse me, Can I use the computer here?

B: Yes, you can use the computer freely. However, it cannot be printed.

A: Yes. Thank you.

B: Yes, do you need any other help?

A: Yes, can I borrow a book?

B: Yes, you can rent books on the 3rd floor. You can take the elevator.

A: Thank you.

B: Yes, thank you.

33

A: If I go to Korea on vacation, I want to eat delicious food.

B: What kind of food do you want to eat?

A: Well, I'm going to have soy sauce shrimp paste and samgyetang.

B: I also thought about what I would want to do if I went to Korea.

A: What do you want to do?

B: I'm going to Nami Island in the fall and Jeju Island in the summer.

A: That would be great. It sounds like a lot of fun.

B: That's right. I hope it's a vacation now.

34

A: If the weather was nice yesterday, we would have gone on a picnic.

B: Yes. I couldn't go on a picnic because it rained yesterday
and I only studied Korean.

A: What would Ari have done if it hadn't rained yesterday?

B: If it hadn't rained, I would have gone to the sea, swam, and hiked
in the mountains.

A: Then, shall we go on a trip together next weekend?

B: Sounds good. Think about where to go.

35

A: Where shall we meet?

B: Shall we meet in front of the theater?

A: All right.

B: Call me when you arrive at the theater first.

A: Okay. I don't know what movie I'm going to watch.

B: Let me recommend you one. There are a lot of interesting movies these days.

A: Okay. Let's watch the movie Ari recommends.

36

A: That's good music.

B: Yes, that's great. I feel great when I listen to music. What about you, Eunmi?

A: I like to take a walk when the weather is nice. That makes me feel better.

B: Me too. I like to feel nature while taking a walk.

A: Do you want to go for a walk with me?

B: Yes, that sounds good.

A: Then, let's go!

37

A: What was your childhood dream?

B: My dream was to become a painter when I was young. I like drawing I won an award at school.

A Oh, then you're good at drawing.

B: Yes, I used to draw a lot when I was young. I don't have time to draw these days because I'm busy.

A: But you must have made a lot of fun memories while drawing.

B: Yes, that's right. I've become closer to my friends while painting, and I've come to like it more.

38

A: Did you eat?

B: No, I haven't eaten yet.

A: Then would you like to eat together? I'll cook for you.

B: Sounds good. Then I'll make you dessert.

A: Wow! It looks so delicious. Thank you for the food.

B: Sure, enjoy your meal.

39

A: Hello? Young-hee, I'm at the mart right now, do you need anything?

B: Yes, then please buy me some milk and fruits.

A: Yes. I'm trying to go to a stationery store, so what can I get you?

B: Really? Then please buy me 2 ballpoint pens. Thank you.

A: No, I'll be right there.

B: Yeah, okay.

40

A: This apartment was built three years ago.

B: Really? That's nice. The subway is also close.

A: Yes, there will be a bus stop in front of the apartment soon.

B: It would be more convenient if there was a bus stop.

A: Yes, but the date hasn't been set yet.

B: I hope the date is set soon.

A: That's right.

41

A: The weather is so nice today.

B: Yes, that's right. Looking at the clear sky and the green trees makes me walk harder.

A: Yes, taking a walk relieves my stress.

B: Me too. I'm working out at the park often these days.

B: Yes, I also started working out at the park these days.

A: Then, shall we exercise together?

B: Yes, good. I think it'll be more fun if we work out together.

42

A: Spring has come, so the weather has gotten a lot warmer.

A: That's right. My clothes got thinner, too.

B: By the way, I'm worried about catching a cold because the clothes are too thin.

A: Don't worry. You'll be fine if you wear warm clothes.

B: Okay. Thank you.

43

A: How did you come to learn Korean?

B: My grandmother made me study Korean.

A: Oh, is your grandmother Korean?

B: Yes, that's why he made me make Korean food.

A: Do you like to make food?

B: Yes, my dream is to be a chef. That's why I cook every day.

A: Wow, that's so cool.

========= 부록 =========

============== 패션 표현 ==============

입다, 쓰다, 신다, 끼다, 하다

옷을 입어요. 모자를 써요.

신발을 신어요. 반지를 껴요.

귀고리를 해요, 목걸이를 해요.

크다, 넉넉하다, 헐렁하다

옷이 커요. 코트가 넉넉해요. 신발이 헐렁해요.

작다, 꽉 끼다

옷이 작아요. 옷이 꽉 껴요.

잘 맞다, 딱 맞다, 적당하다

사이즈가 잘 맞아요.

치수가 딱 맞아요.

사이즈가 적당해요.

잘 어울리다, 안 어울리다

옷이 잘 어울려요.

이 색깔이 안 어울려요.

비싸다, 싸다

옷이 비싸요.

가방이 싸요.

길다, 짧다

치마가 길어요. 머리가 짧아요.

매다, 메다, 들다

넥타이를 매요. (매다)

배낭을 메요. (메다)

가방을 들어요.

차다

시계를 차요, 팔찌를 차요.

============== 기념일 ==============

4.5 - 식목일 - 나무를 심다

5.5 어린이 날 - 어린이 날

5.8 어버이날 - 부모님께 감사하는 날

5.15 스승의날 - 선생님께 감사하는 날

10.9 한글날 - 세종대왕이 한글을 만든 것을 기념하는 날

============ 불규칙 모음 7가지 ============

(ㅂ, ㄷ, ㄹ탈락 ,르, ㅅ, ㅎ, ㅡ 탈락)

1. ㅂ 불규칙

	고	습니다/ㅂ니다	아요/어요	았어요/었어요
덥다	덥+고	덥+습니다	(더우+어요) 더워요	(더웠+다) 더웠+어요
춥다	춥+고	춥+습니다	(추우+어요) 추워요	(추웠+다) 추웠+어요
어렵다	어렵+고	어렵+습니다	(어려우+어요) 어려워요	(어려웠+다) 어려웠+어요

2. ㄷ 불규칙

	고	습니다/ㅂ니다	아요/어요	았어요/었어요
걷다	걷+고	걷+습니다	(ㄷ -> ㄹ) 걸+어요	(ㄷ -> ㄹ) 걸었+어요
듣다	듣+고	듣+습니다	(ㄷ -> ㄹ) 들+어요	(ㄷ -> ㄹ) 들었+어요
받다	**받+고**	**받+습니다**	(ㄷ -> ㄷ) **받+아요**	(ㄷ -> ㄷ) **받았+어요**

3. ㄹ 탈락

	고	습니다/ㅂ니다	아요/어요	았어요/었어요
알다	알+고	(아+ㅂ니다) 압니다	알+아요	알았+어요
열다	열+고	(여+ㅂ니다) 엽니다	열+어요	열었+어요
길다	길+고	(기+ㅂ니다) 깁니다	길+어요	길었+어요

4. 르 불규칙

	고	습니다/ㅂ니다	아요/어요	았어요/었어요
부르다	부르+고	(부르+ㅂ니다) 부릅니다	(ㄹ + ㄹ) 불러요	(ㄹ + ㄹ) 불렀어요
모르다	모르+고	(모르+ㅂ니다) 모릅니다	(ㄹ + ㄹ) 몰라요	(ㄹ + ㄹ) 몰랐어요
빠르다	빠르+고	(빠르+ㅂ니다) 빠릅니다	(ㄹ + ㄹ) 빨라요	(ㄹ + ㄹ) 빨랐어요

5. ㅅ 불규칙

	고	습니다/ㅂ니다	아요/어요	았어요/었어요
낫다	낫+고	낫+습니다	(ㅅ-> X) 나아요	(ㅅ-> X) 나았어요
짓다	짓+고	짓+습니다	(ㅅ-> X) 지어요	(ㅅ-> X) 지었어요
젓다	젓+고	젓+습니다	(ㅅ-> X) 저어요	(ㅅ-> X) 저었어요

6. ㅎ 불규칙

	습니다/ㅂ니다	(으)니까	아요/어요	았어요/었어요
이렇다	이렇+습니다	(ㅎ-> X) 이러+니까	(ㅎ-> ㅐ) 이래요	(ㅎ-> ㅐ) 이랬어요
파랗다	파랗+습니다	(ㅎ-> X) 파라+니까	(ㅎ-> ㅐ) 파래요	(ㅎ-> ㅐ) 파랬어요
그렇다	그렇+습니다	(ㅎ-> X) 그러+니까	(ㅎ-> ㅐ) 그래요	(ㅎ-> ㅐ) 그랬어요

낳다 - 낳+습니다,   낳+으니까 , (ㅎ-> X) 나아요, 나았어요

7. ㅡ 탈락

	고	습니다/ㅂ니다	아요/어요	았어요/었어요
예쁘다	예쁘+고	(예쁘+ㅂ니다) 예쁩니다	(예쁘+어요) 예뻐요	(예쁘+었어요) 예뻤어요
쓰다	쓰+고	(쓰+ㅂ니다) 씁니다	(쓰+어요) 써요	(쓰+었어요) 썼어요
끄다	끄+고	(끄+ㅂ니다) 끕니다	(끄+어요) 꺼요	(끄+었어요) 껐어요

켜다 -   켜고, 켭니다, 켜요, 켰어요

잠그다 -   잠그고, 잠급니다, 잠가요, 잠갔어요

담그다 -   담그고, 담급니다, 담가요, 담갔어요

============== 피동, 사동 ==============

1. 동사 -> 피동사 (이)

   보다 -> 보이다 - 바다가 보여요 (보이+어요 -> 보여요)

   놓다 -> 놓이다 - 물컵이 놓여 있어요..

   쓰다(사용하다) -> 쓰이다 - 이 물건은 한국에서 많이 쓰여요..

   꺾다 -> 꺾이다 - 꽃이 꺾여 있어요..

   잠그다 -> 잠기다 - 문이 잠겼어요.

   동사 -> 피동사 (히)

   먹다 -> 먹히다 - 목이 아파서 음식이 안 먹혀요.

   읽다 -> 읽히다 - 책이 재미없어서 안 읽혀요.

   막다 -> 막히다 - 차가 많아서 길이 막혀요.

   잡다 -> 잡히다 - 모기가 잡혔어요.

   뽑다 -> 뽑히다 - 머리카락이 뽑혔어요.

   닫다 -> 닫히다 - 문이 닫혔어요.

   동사 -> 피동사 (리)

   듣다 -> 들리다 - 음악이 안 들려요.

   걸다 -> 걸리다 - 옷걸이에 옷이 걸려있어요.

   열다 -> 열리다 - 창문이 열렸어요.

   팔다 -> 팔리다 - 이 음료수가 많이 팔려요.

   뚫다 -> 뚫리다 - 길이 막혔다가 뚫렸어요.

   자르다 -> 잘리다 - 종이가 잘렸어요.

동사 -> 피동사 (기)

안다 -> 안기다 - 아기가 안겼어요.

끊다 -> 끊기다 - 전화가 끊겼어요.

쫓다 -> 쫓기다 - 시간에 쫓겨서 빨리 했어요.

찢다 -> 찢기다 - 책이 찢겼어요.

뜯다 -> 뜯기다 - 책이 뜯겼어요.

빼앗다 -> 빼앗기다 - 책을 빼앗겼어요.

2. 동사 -> 사동사 (이)

먹다 -> 먹이다 - 제가 아이에게 밥을 먹였어요.

　　　　　　　(먹이+어요 -> 먹여요/먹였어요)

보다 -> 보이다 - 제가 아이에게 꽃을 보여 줬어요.

높다 -> 높이다 - 친구가 아이에게 자신감을 높여 줬어요.

끓다 -> 끓이다 - 친구가 라면을 끓여요.

죽다 -> 죽이다 - 영화배우가 모기를 죽여요.

녹다 -> 녹이다 - 영화배우가 몸을 녹여요.

속다 -> 속이다 - 영화배우가 사람을 속여요.

동사 -> 사동사 (히)

읽다 -> 읽히다 – 제가 아이에게 책을 읽혔어요.

입다 -> 입히다 – 제가 아이에게 옷을 입혔어요.

밝다 -> 밝히다 – 아이가 제게 희망의 불을 밝혔어요.

넓다 -> 넓히다 – 아이가 학교에서 견문을 넓혀요.

앉다 -> 앉히다 – 친구가 강아지를 앉혀요.

눕다 -> 눕히다 – 친구가 아이를 눕혀요.

맞다 -> 맞히다 – 아이가 정답을 맞혔어요.

좁다 -> 좁히다 – 주차된 자동차가 골목길을 좁혀요.

동사 -> 사동사 (리)

알다 -> 알리다 – 세상에 알려요.

울다 -> 울리다 – 강아지가 아이를 울렸어요.

놀다 -> 놀리다 – 아이가 친구를 놀려요.

살다 -> 살리다 – 의사가 사람을 살려요.

걷다 -> 걸리다 – 학교에서 학생들에게 매일 아침 100미터를 걸렸어요.

날다 -> 날리다 – 제가 하늘에 연을 날려요.

구르다 -> 굴리다 – 제가 공을 굴려요.

흐르다 -> 흘리다 – 제가 물을 흘렸어요.

동사 -> 사동사 (기)

벗다 -> 벗기다 – 제가 아이의 옷을 벗겼어요.

웃다 -> 웃기다 – 아이가 저를 웃겨요.

신다 -> 신기다 – 제가 아이에게 신발을 신겨요.

맡다 -> 맡기다 – 제가 친구에게 책을 맡겼어요.

씻다 -> 씻기다 – 제가 아이를 씻겨요.

감다 -> 감기다 – 제 목에 목도리가 감겨있어요.

숨다 -> 숨기다 – 제가 강아지를 가방에 숨겼어요.

굶다 -> 굶기다 – 제가 강아지를 굶겼어요.

동사 -> 사동사 (우)

자다 -> 재우다 – 제가 아이를 재워요.

크다 -> 키우다 - 제가 강아지를 키워요.

타다 -> 태우다 - 제가 종이를 불에 태웠어요.

쓰다 -> 씌우다 - 제가 아이에게 모자를 씌었어요.

깨다 -> 깨우다 - 고양이가 저를 깨웠어요.

서다 -> 세우다 - 제가 건물을 세웠어요.

동사 -> 사동사 (구)

돋다 -> 돋구다 - 이 음식은 입맛을 돋구어요.

달다 -> 달구다 - 돌을 불에 달구어요.

솟다 -> 솟구다 - 강한 바람에 파도가 솟구쳤어요.

동사 -> 사동사 (추)

늦다 -> 늦추다 - 기차가 늦게 와서 제가 약속 시간을 늦추었어요.(=늦췄어요.).

낮다 -> 낮추다 - 바람이 강하게 불어서 몸을 낮췄어요.

맞다-> 맞추다 - 제가 과녁에 화살을 맞췄어요.

단어 및 표현

신호등, 횡단보도, 사거리, 맞은편, 지하철역, 버스 정류장,
택시 정류장, 티머니 카드.

(식당)이 어디예요?
(식당)이 어디에 있어요?
(홍대)에 어떻게 가요?
(성수)에 어떻게 가는지 아세요?

- 오른쪽으로 가세요
- 오른쪽(우회전)/ 왼쪽(좌회전)
- 오른쪽으로 돌아가세요
- 앞으로 쭉 가세요 (직진)
- 횡단보도를 건너가세요(건너세요)

택시에서

기사님, (홍대)로 가 주세요.
저기 (지하철역 2번 출구 앞) 에서 세워 주세요/ 내려 주세요
얼마예요?

버스에서

기사님, 이 버스 (홍대)로 가요?
기사님, 죄송해요. 문 열어 주세요. (문이 방금 닫혔을 때)

============== 동사 표현 ==============

하다, 치다, 타다

하다

수영 하다, 축구 하다, 야구 하다, 농구 하다

치다

골프 치다, 테니스 치다, 배드민턴 치다, 탁구 치다,
기타 치다, 피아노 치다

타다

스키 타다, 자전거 타다, 스케이트 타다